CITAÇÕES, AFORISMOS E FRASES CÉLEBRES

MEU REINO POR UM CAVALO!

(William Shakespeare)

Edição, seleção e projeto gráfico
Ivan Pinheiro Machado

L&PM
EDITORES

TEXTO DE ACORDO COM A NOVA ORTOGRAFIA.

EDIÇÃO, SELEÇÃO E PROJETO GRÁFICO: IVAN PINHEIRO MACHADO
SELEÇÃO DE FRASES E IMAGENS: PAULA TAITELBAUM, MARINA FERREIRA
E IVAN PINHEIRO MACHADO
FINALIZAÇÃO, APOIO MORAL E LOGÍSTICO: MARINA FERREIRA
PRODUÇÃO: LÚCIA BOHRER E EQUIPE L&PM EDITORES (MARIANA, CAMILA, KARINE, CARLA E FERNANDA)
ILUSTRAÇÕES: ARQUIVO L&PM EDITORES E ISTOCK. AS DEMAIS ILUSTRAÇÕES ESTÃO CREDITADAS NAS PÁGINAS INTERNAS.

CIP-BRASIL. CATALOGAÇÃO NA PUBLICAÇÃO
SINDICATO NACIONAL DOS EDITORES DE LIVROS, RJ

M131M

MACHADO, IVAN PINHEIRO 1953-
 MEU REINO POR UM CAVALO! : CITAÇÕES, AFORISMOS E FRASES CÉLEBRES / IVAN PINHEIRO MACHADO [ORGANIZADOR]. - 1. ED. - PORTO ALEGRE, RS : L&PM, 2016.
 152 P. : IL. ; 21 CM.

ISBN 978-85-254-3437-1

1. CITAÇÕES. I. TÍTULO.

16-35074   CDD: 808.88
                                        CDU: 82-84

COPYRIGHT (C) IVAN PINHEIRO MACHADO, 2016.

TODOS OS DIREITOS DESTA EDIÇÃO RESERVADOS A L&PM EDITORES
RUA COMENDADOR CORUJA, 314, LOJA 9 - FLORESTA - 90220-180
PORTO ALEGRE - RS - BRASIL / FONE: 51.3225.5777 - FAX: 51.3221.5380

PEDIDOS & DEPTO. COMERCIAL: VENDAS@LPM.COM.BR
FALE CONOSCO: INFO@LPM.COM.BR
WWW.LPM.COM.BR

IMPRESSO NO BRASIL
INVERNO DE 2016

O PODER DAS PALAVRAS

Palavras podem mudar o mundo. Podem ferir, chocar, emocionar, podem levantar multidões ou simplesmente fazer rir, divertir e encantar. Foi com palavras que Churchill deu aos ingleses ânimo e esperança para lutar e superar o inimigo nazista, que parecia invencível. Foi com palavras que Shakespeare imprimiu sua marca nos séculos e tornou-se eterno. Como estes dois exímios esgrimistas da palavra, há centenas de mulheres e homens geniais, que criaram frases, textos, romances, poemas e aforismos inesquecíveis.

Meu reino por um cavalo! parte da famosa frase do Rei Ricardo na peça *Ricardo III* de William Shakespeare e percorre esse universo de centenas de ditos e fragmentos de textos produzidos através dos séculos que ainda têm grande ressonância no mundo em que vivemos. Este livro, que pretende ser divertido ao criar um diálogo entre ilustração e citação, é também útil e inspirador, pois acima de tudo é uma homenagem à inteligência e à incrível capacidade que as palavras têm de despertar em nós todo o tipo de sentimento. O leitor também pode participar. Há espaços no livro para que você coloque as frases que nunca esqueceu e que foram importantes para você.

Queremos agradecer a colaboração de toda a equipe da L&PM Editores, sem a qual seria impossível a realização deste projeto. E especialmente à Marina Ferreira e à Paula Taitelbaum, que foram incansáveis e solidárias nesta árdua caça por imagens, frases e histórias.

Ivan Pinheiro Machado (2016)

Índice

Shakespeare disse 11
Amor sublime amor 13
O tempo, a vida e a morte 35
Liberdade, liberdade 51
Verdades & mentiras 61
O homem contra o homem 73
Os outros são um inferno 91
O dinheiro, o poder e a glória 105
A História é uma história 117
A arte & a arte de escrever 127
Quem é quem 137

"Sheikespir, sim, é que era bão: só escrivia citação!"

(Millôr Fernandes)*

---
* Este livro é dedicado a Millôr Fernandes, o melhor de todos.

NEM TUDO QUE RELUZ É OURO.
(O MERCADOR DE VENEZA)

Há algo de podre no reino da Dinamarca. (Hamlet)

O mal que os homens fazem quase sempre vive depois deles. O bem é quase sempre enterrado com seus ossos. (Júlio César)

O CIÚME É UM MONSTRO DE OLHOS VERDES.
(OTELO)

BEM ESTÁ O QUE BEM ACABA.

Shakespeare
disse, disse, disse...

O QUE NÃO TEM REMÉDIO NEM DEVERIA SER PENSADO. (MACBETH)

O QUE NÃO TEM REMÉDIO REMEDIADO ESTÁ. (OTELO)

Há mais coisas entre o céu e a terra do que sonha a nossa vã filosofia. (Hamlet)

O HÁBITO NÃO FAZ O MONGE.
(VIDA DO REI HENRIQUE VIII)

SER OU NÃO SER, EIS A QUESTÃO.

A MULHER É UM PRATO PARA OS DEUSES. QUANDO NÃO É O DEMÔNIO QUE O PREPARA.
(ANTÔNIO E CLEÓPATRA)

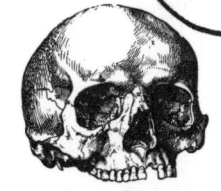

O RESTO É SILÊNCIO...
(Hamlet)

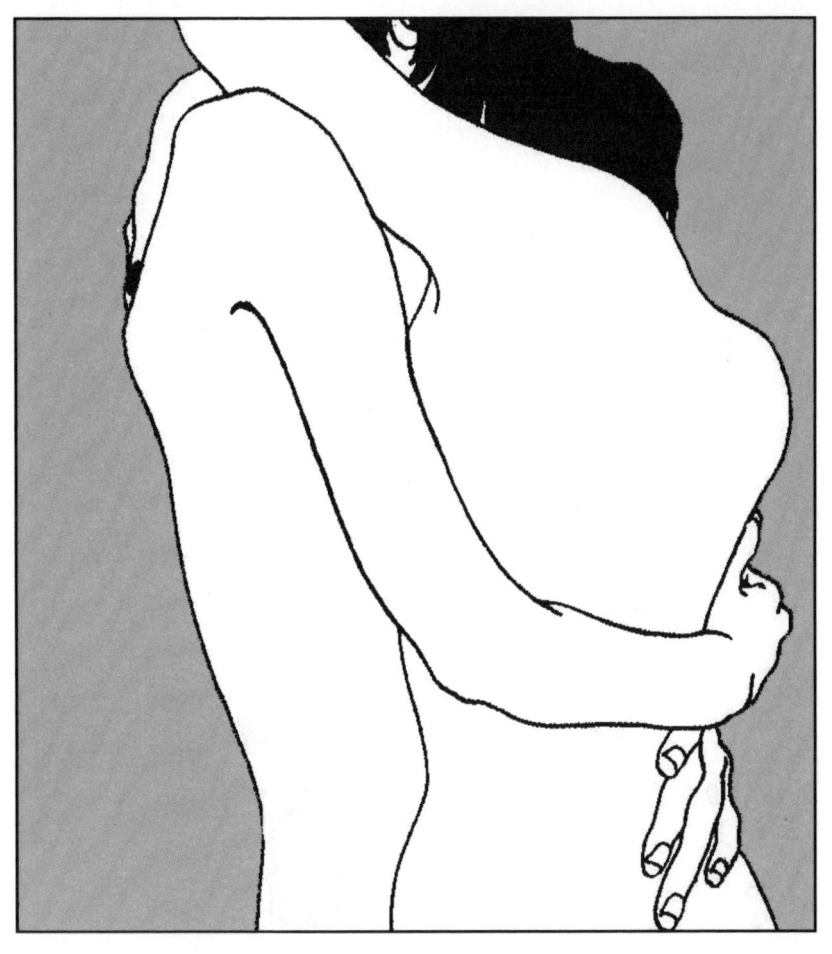

AMOR SUBLIME AMOR

Amor é um fogo que arde sem se ver,
é ferida que dói e não se sente;
é um contentamento descontente,
é dor que desatina sem doer.
                                           (Luís de Camões)

Você diz que ama a chuva,

Mas quando ela cai, você fecha as janelas.

Você diz que ama os peixes,

Mas corta-lhes a cabeça.

Você diz que ama as flores,

Mas corta-lhes a haste.

Então... quando você diz que me ama,

Tenho medo!

                 (Marcel Rioutord)

> **SÓ SE ENXERGA BEM COM O CORAÇÃO. O ESSENCIAL É INVISÍVEL PARA OS OLHOS.** (ANTOINE DE SAINT-EXUPÉRY)

O coração humano tem cordas que é melhor não tocar. (Charles Dickens)

Tenho ciúme de quem não te conhece ainda,
pois te verá, pálida e linda,
pela primeira vez. (Guilherme de Almeida)

Vença-me. Seduza-me.
Fique comigo.
Ah, faça-me sofrer!
(James Joyce)

O sol não brilha para os mal-amados.
(Millôr Fernandes)

O amor é um não sei o quê, que vem de não sei onde e que acaba não sei como.
(Madeleine de Scudéry)

ERA MAIS OU MENOS ISSO QUE EU QUERIA TE DIZER.

Não existe vingança maior que o esquecimento. (Baltasar Gracián)

Dois corações que se amam são como dois relógios magnéticos: o que se move em um faz mover o outro, pois é um só o impulso que age em ambos.
(Johann Wolfgang von Goethe)

Amor com amor se paga. E nada mais.
(Millôr Fernandes)

Enquanto ela espera o homem certo, vai se divertindo com os errados. (Anônimo)

O SEXO SEM AMOR É UMA EXPERIÊNCIA VAZIA. MAS COMO EXPERIÊNCIA VAZIA, É UMA DAS MELHORES.
(WOODY ALLEN)

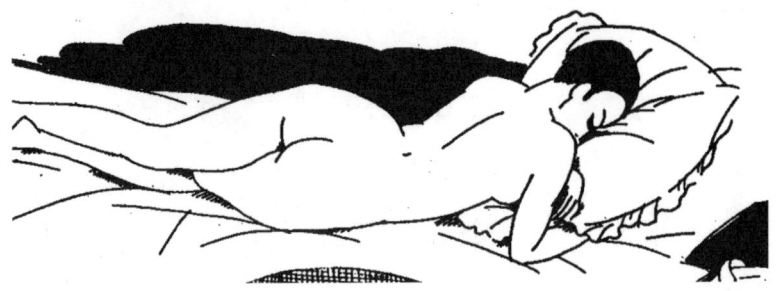

O TEMPO, QUE FORTALECE AS AMIZADES, ENFRAQUECE O AMOR. (JEAN DE LA BRUYÈRE)

BEBER SEM ESTAR COM SEDE E AMAR O TEMPO TODO. EIS AS ÚNICAS COISAS QUE NOS DISTINGUEM DOS OUTROS ANIMAIS. (PIERRE BEAUMARCHAIS)

DEVERÍAMOS ESTAR SEMPRE APAIXONADOS. POR ISSO, NUNCA DEVERÍAMOS NOS CASAR. (OSCAR WILDE)

CLARO QUE HÁ ALGO CHAMADO AMOR. OU NÃO HAVERIA TANTOS DIVÓRCIOS.
(ED HOWE)

O amor é uma espécie de liberdade que dois seres se concedem para se magoarem reciprocamente a propósito de nada. (Honoré de Balzac)

TODAS AS PAIXÕES SÃO EXAGERADAS. SE NÃO FOSSEM EXAGERADAS, NÃO SERIAM PAIXÕES. (NICOLAS DE CHAMFORT)

Para ser amado, seja amável. (Ovídio)

Aquele que se perde numa paixão, perde menos do que aquele que perde uma paixão. (Santo Agostinho)

O QUE É FEITO POR AMOR SEMPRE SE REALIZA PARA ALÉM DO BEM E DO MAL. (FRIEDRICH NIETZSCHE)

Quando o amor lhe fizer sinal, siga-o,
Apesar de seus caminhos serem abruptos e escarpados.
E quando ele o envolver com suas asas, ceda a ele,
Mesmo que a espada escondida em suas asas o fira.
(Khalil Gibran)

— EU TE AMAREI PARA SEMPRE — EU DISSE.
ELA SE VIROU PARA A PAREDE E DISSE APENAS:
— BASTA ME AMAR TODOS OS DIAS.
(DANIEL PENNAC)

SE A ALGUÉM CAUSA AINDA PENA A TUA CHAGA, APEDREJA ESSA MÃO VIL QUE TE AFAGA, ESCARRA NESTA BOCA QUE TE BEIJA.
(AUGUSTO DOS ANJOS)

Quando duas pessoas estão apaixonadas, uma exaltação quase patológica, a sociedade traz diante delas um padre e um juiz e exige que jurem que permanecerão o resto da vida nesse estado deprimente, anormal e exaustivo.
(George Bernard Shaw)

Ontem à noite eu disse para minha mulher:
- Ruth, você acredita que a paixão e o sexo acabaram pra nós?
Ela me respondeu:
- Depois da novela falamos sobre isso, tá?
(Milton Berle)

Choras? Para que lágrimas, querida? Naturalmente o amor também se acaba, como tudo se acaba nesta vida. (Artur Azevedo)

> SE TODOS FÔSSEMOS **BISSEXUAIS,** DOBRARIAM NOSSAS CHANCES NOS SÁBADOS À NOITE. (WOODY ALLEN)

O dinheiro compra tudo, até amor verdadeiro.
(Nelson Rodrigues)

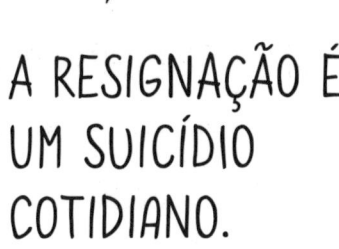

A RESIGNAÇÃO É UM SUICÍDIO COTIDIANO.
(HONORÉ DE BALZAC)

AS PAIXÕES SÃO O SAL DA VIDA, QUE É INSÍPIDA SEM ELAS.
(CRISTINA DA SUÉCIA)

Na Inglaterra nada é feito para as mulheres. Nem os homens...
(Oscar Wilde)

PARA UM HOMEM APAIXONADO, TODA A MULHER VALE O QUANTO ELA LHE CUSTA. (HONORÉ DE BALZAC)

Não procure o porquê, pois no amor não existe razão, nem explicação, nem solução. (Anaïs Nin)

A felicidade é ter alguém a perder. (Philippe Delerm)

O AMOR É SEDE DEPOIS DE TER BEM BEBIDO. (GUIMARÃES ROSA)

A imaginação de uma senhora é muito rápida: pula da admiração para o amor e do amor para o matrimônio em um segundo. (Jane Austen)

A frase que você nunca esqueceu:
....
....
....

"Eu abri a porta ao meu amado, meu amado meteu a mão pela fresta e as minhas entranhas estremeceram.

Levantemo-nos de manhã para ir às vinhas, vejamos se as vinhas lançam flor, se as romãs já estão floridas: ali eu lhe darei meus seios."*

(Cântico dos Cânticos, Bíblia Sagrada)

---

* Adaptação de Millôr Fernandes, em *O Homem do Princípio ao fim*, L&PM Editores, 1978.

A AMIZADE É O AMOR, MAS SEM ASAS. (LORD BYRON)

AMA O TEU PRÓXIMO. SE ELE FOR ALTO, MORENO E BONITÃO, SERÁ MAIS FÁCIL. (MAE WEST)

QUANDO SOU BOA, SOU BOA, MAS QUANDO SOU MÁ, SOU MELHOR AINDA. (MAE WEST)

Quando se divorciar, não fique chateada... Fique com os bens. (Ivana Trump)

Mulheres e elefantes nunca esquecem.
(Dorothy Parker)

O AMOR É UMA BOBAGEM FEITA A DOIS.
(NAPOLEÃO BONAPARTE)

Se você consegue fazer uma garota rir, consegue que ela faça qualquer coisa.
(Marilyn Monroe)

O CASAMENTO É UMA TRAGÉDIA EM DOIS ATOS: UM CIVIL E UM RELIGIOSO.

(BARÃO DE ITARARÉ)

> # NENHUM HOMEM RICO É FEIO.
> ### (ZSA ZSA GABOR)

O AMOR É COMO A GRIPE, SE PEGA NA RUA E ACABA NA CAMA. (ANÔNIMO FRANCÊS)

OS MARIDOS DAS MULHERES QUE ADMIRAMOS SÃO SEMPRE UNS IDIOTAS.
(GEORGES FEYDEAU)

> Se julgarmos o amor pela maior parte de seus efeitos, ele mais se parecerá com o ódio do que com a amizade.
>
> (François de La Rochefoucauld)

O HOMEM É UMA CRIATURA DOTADA DE DUAS PERNAS E OITO MÃOS. (JAYNE MANSFIELD)

É PRECISO TEMER A QUEM AMAMOS E NÃO A QUEM ODIAMOS. (CRISTINA DA SUÉCIA)

SOMOS FEITOS DE CARNE, MAS TEMOS QUE VIVER COMO SE FÔSSEMOS DE FERRO. (SIGMUND FREUD)

AS MULHERES SERÃO SEMPRE UM PERIGO PARA TODOS OS PARAÍSOS. (PAUL CLAUDEL)

EU AMO DOIS TIPOS DE HOMENS: OS DO MEU PAÍS E OS ESTRANGEIROS. (MAE WEST)

Quando penso em você, que viagem! Me vem poesia e SEXO SELVAGEM.
(Pedro Mantiqueira)

A. Varenne

O tempo, a vida e a morte

SÓ SE MORRE UMA VEZ.
E É POR MUITO TEMPO. (Molière)

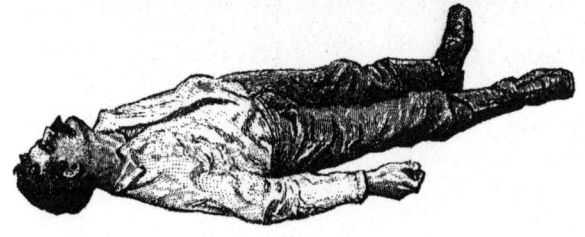

ESTÁ MORTO: PODEMOS ELOGIÁ-LO À VONTADE.
(MACHADO DE ASSIS)

Quem possui a faculdade de ver a beleza, não envelhece.

O nosso mundo não passa de um mau humor de Deus.

(Franz Kafka)

> *Devemos aprender a viver ao longo de toda a vida e, o que pode ser mais surpreendente, ao longo de toda a vida devemos aprender a morrer. (Sêneca)*

O pior não é morrer. É não poder espantar as moscas.

(Millôr Fernandes)

O arqueólogo é o melhor marido que uma mulher pode ter; quanto mais velha ela fica, mais interesse ele tem por ela. (Agatha Christie)

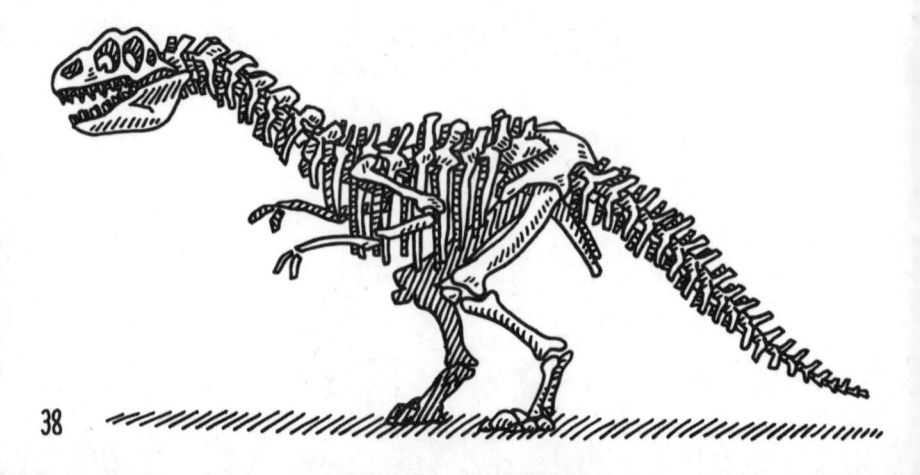

A VIDA É UMA HISTÓRIA CONTADA POR UM IDIOTA, CHEIA DE SOM E FÚRIA, SIGNIFICANDO NADA.
(WILLIAM SHAKESPEARE EM *MACBETH*)

Ilustração de Gilbert Chelton

A juventude é a embriaguez sem vinho.
(Johann Wolfgang von Goethe)

Às vezes ouço passar o vento; e só de ouvir o vento passar, vale a pena ter nascido.
(Fernando Pessoa)

Ao renunciar ao mundo e à fortuna, encontrei a felicidade, a calma, a saúde, mesmo a riqueza; e, a despeito do provérbio, descobri que quem sai do jogo, vence.
(Nicolas de Chamfort)

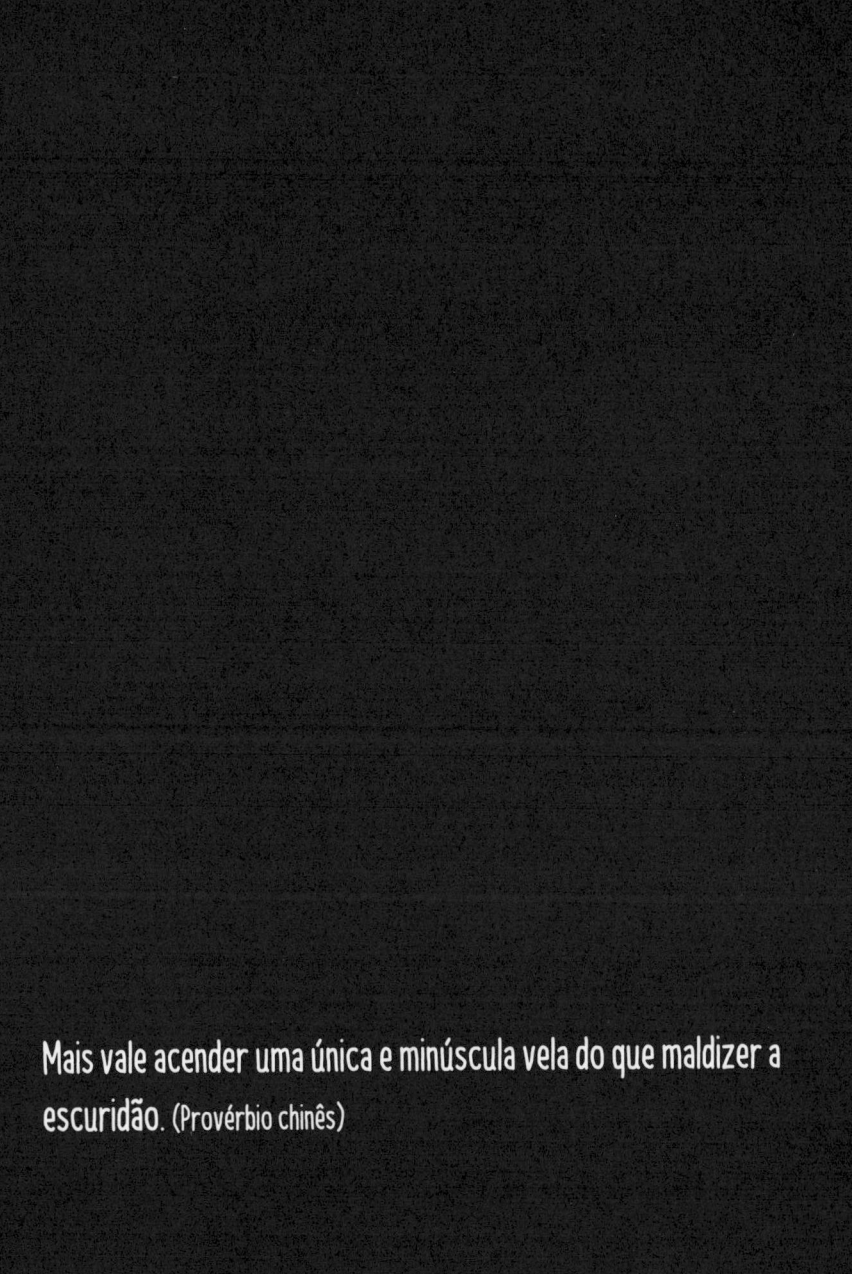

Mais vale acender uma única e minúscula vela do que maldizer a escuridão. (Provérbio chinês)

O DESTINO DOS HOMENS É MORRER...
POR QUE ME ENTRISTECER, SE MEU
DESTINO É NORMAL E O MESMO DE
TODOS OS HUMANOS? (LIE-TSÉ)

Se nada nos salva da morte, que ao menos o amor nos salve da vida.
(Pablo Neruda)

Toda fotografia antiga é uma punhalada.
(Millôr Fernandes)

NUNCA PENSO NO FUTURO. ELE SEMPRE CHEGA MUITO CEDO.
(ALBERT EINSTEIN)

$E=mc^2$

> Quando eu pensar que aprendi a viver, terei aprendido a morrer.
> (Leonardo da Vinci)

Ao descobrir que todos os seus bens haviam desaparecido durante um naufrágio, nosso querido Zenão exclamou: "O Destino quer que eu fique mais à vontade para filosofar".
(Sêneca)

O SÁBIO PERSEGUE A AUSÊNCIA DE DOR, E NÃO O PRAZER. (ARISTÓTELES)

UM MOMENTO DE FELICIDADE VALE MAIS DO QUE MIL ANOS DE CELEBRIDADE. (VOLTAIRE)

O verão vem. Mas ele só vem para os que sabem esperar, tranquilos e abertos como se tivessem a eternidade diante de si. Aprendo isso todos os dias, ao preço de sofrimentos que abençoo: paciência é tudo. (Rainer Maria Rilke)

SONO, ESSA DEPLORÁVEL REDUÇÃO DO PRAZER DA VIDA. (VIRGINIA WOOLF)

A SAÚDE ACIMA DE TUDO É TÃO MAIS IMPORTANTE QUE OS BENS EXTERIORES QUE, NA VERDADE, UM MENDIGO SAUDÁVEL É MAIS FELIZ QUE UM REI DOENTE.
(ARTHUR SCHOPENHAUER)

A MAIOR FELICIDADE É QUANDO A PESSOA SABE POR QUE É INFELIZ. (FIÓDOR DOSTOIÉVSKI)

Ninguém restaurará os teus anos, ninguém te devolverá a ti mesmo uma segunda vez. (Sêneca)

É PRECISO DAR TEMPO AO TEMPO.
(MIGUEL DE CERVANTES)

Os Humanos dizem que o tempo passa, o Tempo diz que os Humanos passam. (Provérbio sânscrito)

A melancolia é a felicidade de estar triste. (Alexandre Dumas)

> O tempo é um grande mestre, o terrível é que ele mata os seus alunos. (Hector Berlioz)

O HOMEM É UMA CORDA, ESTENDIDA ENTRE O ANIMAL E O SUPER-HOMEM – UMA CORDA POR SOBRE UM ABISMO. (FRIEDRICH NIETZSCHE)

EU VOS DIGO: É PRECISO AINDA TER CAOS EM SI PARA PODER DAR À LUZ UMA ESTRELA DANÇANTE. EU VOS DIGO: VÓS TENDES AINDA CAOS EM VÓS. (FRIEDRICH NIETZSCHE)

AS RELIGIÕES, COMO OS VAGALUMES, PRECISAM DA OBSCURIDADE PARA BRILHAR.
(ARTHUR SCHOPENHAUER)

A religião está no coração e não nos joelhos. (Douglas W. Jerrold)

O DESTINO MISTURA AS CARTAS MAS NÓS AS JOGAMOS. (SHAKESPEARE)

No ponto onde a ciência para, começa a imaginação.
(Jules Gautier)

PODES EXIGIR QUE EU BUSQUE A VERDADE, MAS NÃO QUE EU A ENCONTRE. (DENIS DIDEROT)

NO MEIO DO INVERNO DESCOBRI, DENTRO DE MIM, UM VERÃO INVENCÍVEL. (ALBERT CAMUS)

Liberdade, liberdade

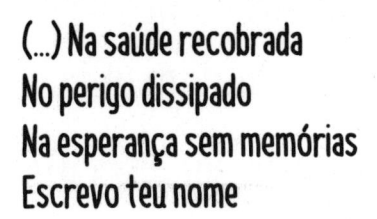

(...) Na saúde recobrada
No perigo dissipado
Na esperança sem memórias
Escrevo teu nome

E ao poder de uma palavra
Recomeço minha vida
Nasci pra te conhecer
E te chamar

LIBERDADE*

*Paul Valéry, em tradução de Carlos Drummond de Andrade.

Não concordo com uma só palavra do que dizeis, mas defenderei até a morte vosso direito de dizê-las! (Voltaire)

LIBERDADE É O PODER DE FAZER TUDO AQUILO QUE AS LEIS PERMITEM.
(Montesquieu)

LIVRE COMO UM TÁXI.
(MILLÔR FERNANDES)

Devemos negociar com liberdade, mas jamais negociar a liberdade. (John F. Kennedy)

No deserto, a liberdade só faz sentido se soubermos em que latitude está o poço. (Antoine de Saint-Exupéry)

Cumpri minha palavra, morro pela liberdade. (Tiradentes)

As tiranias são os mais frágeis governos. (Aristóteles)

DÊ A QUEM VOCÊ AMA: ASAS PARA VOAR, RAÍZES PARA VOLTAR E MOTIVOS PARA FICAR. (DALAI LAMA)

ENTRE O FORTE E O FRACO, ENTRE O RICO E O POBRE, ENTRE O PATRÃO E O EMPREGADO, É A LIBERDADE QUE OPRIME E A LEI QUE LIBERTA. (HENRI LACORDAIRE)

A alegria, essa forma suprema de insolência e liberdade. (Anônimo)

LIBERDADE, LIBERDADE, QUANTOS CRIMES SE COMETEM EM TEU NOME. (MADAME ROLAND)

A LIBERDADE É UM BEM QUE FAZ COM QUE POSSAMOS USUFRUIR DE MUITOS OUTROS. (MONTESQUIEU)

Quando olho para a História, vejo horas de liberdade e séculos de servidão. (Joseph Joubert)

EM UM REGIME POLÍTICO, A LIBERDADE SÓ É PLENA QUANDO SE TEM A LIBERDADE DE DIZER PUBLICAMENTE QUE NÃO SE TEM LIBERDADE. (ANÔNIMO)

PARA VIVEREM JUNTOS, DOIS SERES DEVEM SER ESCRAVOS UM DO OUTRO PARA QUE POSSAM SER LIVRES.
(DUQUESA D'ABRANTES)

A LIBERDADE TEM QUE SER TOTAL. UM PEDAÇO DE LIBERDADE NÃO É LIBERDADE. (MAX STIRNER)

SÓ EXISTE LIBERDADE QUANDO AS PESSOAS PODEM PENSAR DIFERENTEMENTE DE NÓS.
(ROSA LUXEMBURGO)

NÓS SOMOS ESCRAVOS DAS LEIS PARA PODERMOS SER LIVRES.
(CÍCERO)

Verdades & mentiras

A HIPOCRISIA É UMA HOMENAGEM QUE O VÍCIO PRESTA À VIRTUDE.
(FRANÇOIS DE LA ROCHEFOUCAULD)

Nunca se mente tanto quanto antes das eleições, durante a guerra e depois da pescaria.
(Georges Clemenceau)

É impossível ensinar um gato a não pegar passarinhos.
(Albert Einstein)

O SILÊNCIO É UM AMIGO QUE NUNCA TRAI.
(PROVÉRBIO CHINÊS)

Shakespeare não existiu. Todas aquelas peças foram escritas por um desconhecido que, naquela época, se chamava Shakespeare... (Alphonse Allais)

Os ingleses conquistaram o mundo porque não aguentavam a própria cozinha. (Anônimo francês)

SE VOCÊ NÃO CONTAR A VERDADE SOBRE SI MESMO, NÃO PODERÁ CONTAR A VERDADE SOBRE AS OUTRAS PESSOAS. (VIRGINIA WOOLF)

QUANDO COMEÇA A GUERRA A PRIMEIRA VÍTIMA É A VERDADE. (BOAKE CARTER)

Dois judeus se encontram numa estação de trem na Galícia.

– Para onde vais? Pergunta o primeiro.

– Para Cracóvia, responde o segundo.

– Olha só como és mentiroso, exclama o primeiro. Tu dizes que vais para Cracóvia para que eu pense que vais para Lemberg. Mas eu sei muito bem que tu vais verdadeiramente para Cracóvia. Então, pra quê mentir?

(Sigmund Freud em "Os chistes e sua relação com o inconsciente")

Falar é uma necessidade, escutar é uma arte.

(J. W. von Goethe)

PAR DELICATESSE J'AI PERDU MA VIE.*

(Arthur Rimbaud)

Não há fatos eternos, como não há VERDADES absolutas. (Friedrich Nietzsche)

UMA ILUSÃO A MENOS É UMA VERDADE A MAIS.
(Alexandre Dumas Filho)

Uma vez eliminado o impossível, o que resta, por mais improvável que seja, deve ser a verdade.

(Arthur Conan Doyle)

---

* Por delicadeza, perdi minha vida.

Picasso

A PINTURA É MAIS FORTE DO QUE EU, OBRIGA-ME A FAZER O QUE ELA DESEJA.

Muito cuidado: às vezes, quando nos consideramos menos livres, é justamente quando somos mais livres. Na verdade, não somos mais livres quando nós sentimos ter asas gigantes, que nos impedem de pisar a terra firme.

EU NÃO PROCURO, EU ENCONTRO.

Ao ver o imenso painel "Guernica", o general nazista perguntou:
- Foi o senhor que fez isso?
- Não! Foi o senhor! – respondeu Picasso.

90% DO SUCESSO SE BASEIA SIMPLESMENTE EM INSISTIR.
(WOODY ALLEN)

NÃO POSSO ACREDITAR EM UM DEUS QUE QUER SER LOUVADO O TEMPO TODO.
(FRIEDRICH NIETZSCHE)

Geralmente aqueles que sabem pouco falam muito, e aqueles que sabem muito falam pouco.
(Jean-Jacques Rousseau)

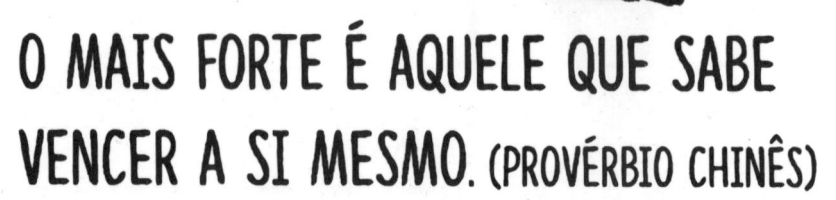

O MAIS FORTE É AQUELE QUE SABE VENCER A SI MESMO.
(PROVÉRBIO CHINÊS)

FALAR NÃO FAZ O ARROZ COZINHAR.
(PROVÉRBIO CHINÊS)

O mundo é redondo, mas está ficando muito chato. (Barão de Itararé)

A alma sensível é como **HARPA** que ressoa com um simples sopro.

(Ludwig van Beethoven)

Aquilo que os homens de fato querem não é o conhecimento, mas a certeza. (Bertrand Russell)

- -

A ROSA SÓ TEM ESPINHOS PARA QUEM QUER COLHÊ-LA. (PROVÉRBIO CHINÊS)

- -

A melhor maneira de começar uma amizade é com uma boa gargalhada. De terminar com ela, também. (Oscar Wilde)

Todos os provérbios se contradizem entre si. (Georges Simenon)

Por ser de minha terra é que sou rico.
Por ser de minha gente é que sou nobre.
(Olavo Bilac)

Creio em *Michelangelo*, VELÁZQUEZ e REMBRANDT. No poder do desenho, no mistério da cor, na mensagem da arte que tornou estas mãos abençoadas e na redenção de todas as coisas pela Beleza Eterna, Amém, Amém, Amém.

(George Bernard Shaw em "O dilema do médico")

O HOMEM É A MEDIDA DE TODAS AS COISAS.
(PROTÁGORAS)

A BOSTA DE VACA É MAIS ÚTIL QUE OS DOGMAS. PODEMOS FAZER ADUBO COM ELA. (MAO TSÉ-TUNG)

Os sonhos são a literatura do sono.
(Jean Cocteau)

O PESSIMISTA VÊ DIFICULDADE EM CADA OPORTUNIDADE. O OTIMISTA VÊ OPORTUNIDADE EM CADA DIFICULDADE.
(WINSTON CHURCHILL)

O homem contra o homem

> Duas coisas são infinitas: o **UNIVERSO** e a **ESTUPIDEZ** humana: mas quanto ao universo, ainda não tenho certeza absoluta.
> (Albert Einstein)

O crítico é um homem sem pernas que ensina a correr.
(Channing Pollock)

ERRAR É HUMANO: MAIS HUMANO AINDA É ATRIBUIR O ERRO AOS OUTROS.
(ANTON TCHÉKHOV)

PODE-SE ENGANAR UMA PESSOA POR MUITO TEMPO, MUITAS PESSOAS POR ALGUM TEMPO, MAS NÃO SE PODE ENGANAR TODAS AS PESSOAS, TODO O TEMPO.
(ABRAHAM LINCOLN)

MATE-ME NOVAMENTE OU ACEITE-ME COMO SOU, PORQUE EU NÃO MUDAREI. (MARQUÊS DE SADE)

WHIIIIIP...

Ser valente é muito mais fácil do que ser homem.
(Julio Cortázar)

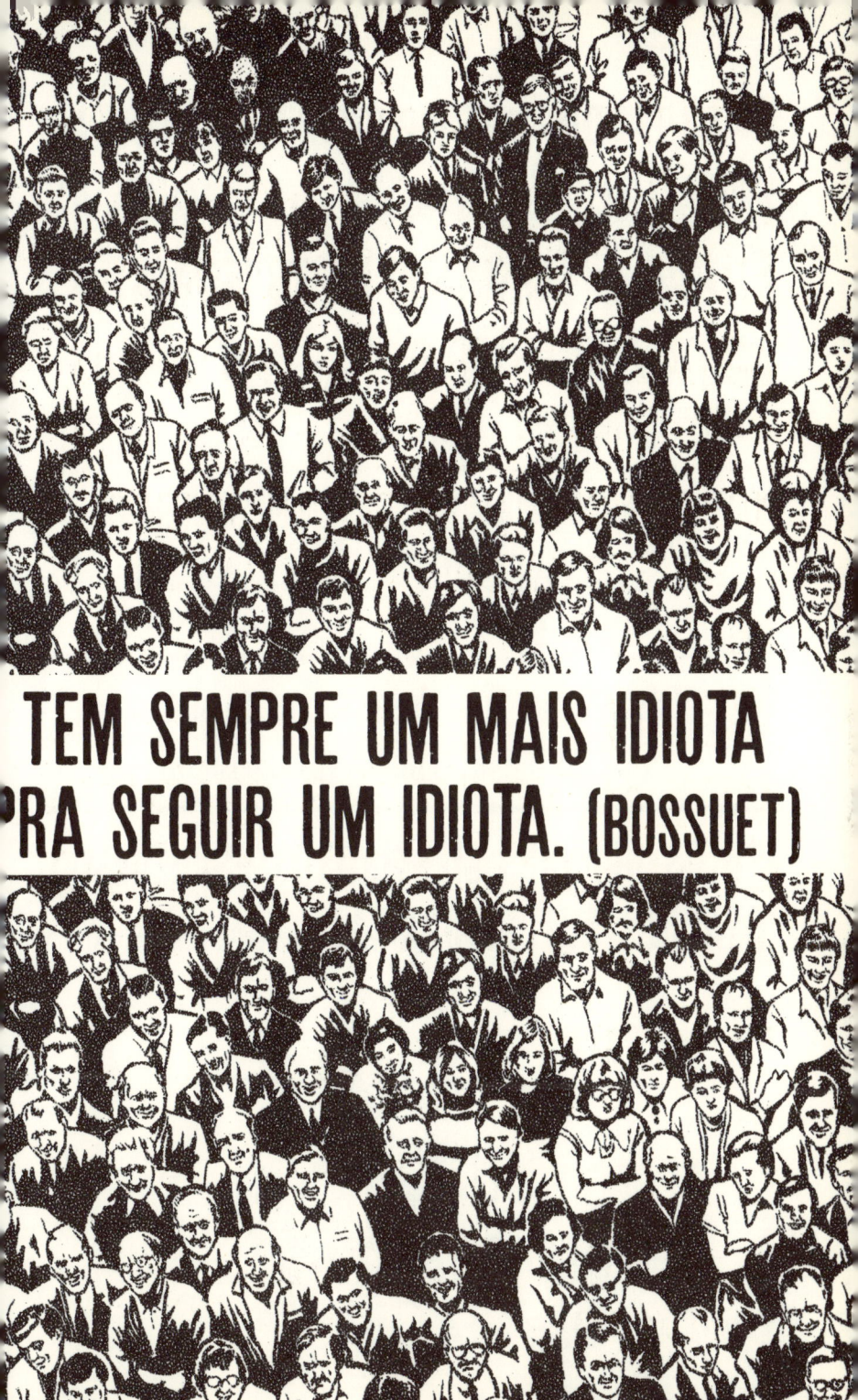

TEM SEMPRE UM MAIS IDIOTA PRA SEGUIR UM IDIOTA. (BOSSUET)

A MELHOR DEFINIÇÃO DO HOMEM, PARA MIM, É: UM SER COM DOIS PÉS E INGRATO. (FIÓDOR DOSTOIÉVSKI)

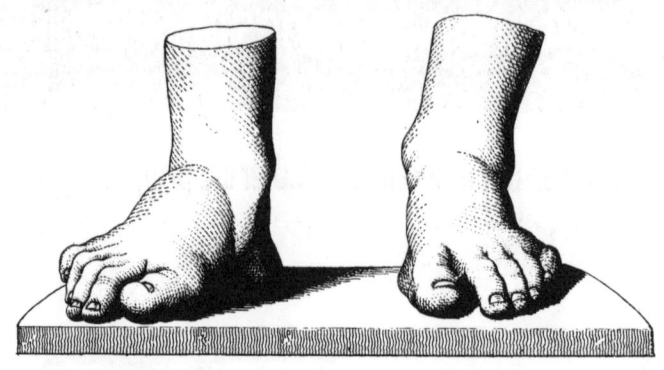

Mais vale um final desastroso do que um desastre interminável. (Anônimo)

SÓ OS GRANDES MENTIROSOS ESCREVEM GRANDES AUTOBIOGRAFIAS. (MILLÔR FERNANDES)

> Tentei e continuo tentando aprender a voar na escuridão, como os morcegos, nestes tempos sombrios. (Eduardo Galeano)

Saber suportar um momento de cólera é poupar-se um século de lamentos. (Provérbio chinês)

UM POUCO DE DESPREZO POUPA MUITO ÓDIO (JACQUES DEVAL)

SÓ ZOMBA DE CICATRIZES QUEM NUNCA FOI FERIDO. (WILLIAM SHAKESPEARE)

Os homens sempre foram e sempre serão mais constantes no ódio do que no amor. (Carlo Goldoni)

DEVEMOS JULGAR OS HOMENS MAIS PELAS SUAS PERGUNTAS DO QUE PELAS SUAS RESPOSTAS. (VOLTAIRE)

SE HITLER INVADISSE O INFERNO, EU APOIARIA O DEMÔNIO!

(Winston Churchill)

Winston Churchill disse:

Na guerra você morre uma vez. Na política, você morre várias vezes.

SUCESSO CONSISTE EM IR DE FRACASSO A FRACASSO SEM PERDER O ENTUSIASMO.

Ele tem todas as virtudes que eu não gosto e nenhum dos vícios que admiro.

UMA MENTIRA DÁ UMA VOLTA AO MUNDO ANTES MESMO DA VERDADE SE VESTIR.

> Todas as grandes coisas são simples e podem ser expressas numa só palavra como liberdade, justiça, honra, dever, piedade, esperança.

SE VOCÊ ESTÁ ATRAVESSANDO O INFERNO, NÃO PARE!

Uma grande lição é que, às vezes, até os tolos têm razão.

FANÁTICO É AQUELE TIPO QUE NÃO MUDA DE IDEIA NEM DE ASSUNTO.

Churchill debatia acaloradamente com uma deputada da oposição. Furiosa, ela lhe disse:
– Sr. Ministro, se Vossa Excelência fosse meu marido, eu colocaria veneno em seu chá!
Ao que Churchill respondeu:
– Minha senhora, se eu fosse seu marido, eu beberia esse chá.

NUNCA TANTOS DEVERAM TANTO A TÃO POUCOS.

TODO O HERÓI ACABA SE TRANSFORMANDO NUM CHATO.
(RALPH WALDO EMERSON)

Aquece uma serpente em teu seio, ela te morderá.
(Esopo)

Dentro de nós, todos temos o céu e o inferno. (Oscar Wilde)

ESPERAMOS ENVELHECER E TEMEMOS A VELHICE; OU SEJA, AMAMOS A VIDA E FUGIMOS DA MORTE.
(JEAN DE LA BRUYÈRE)

O problema do mundo de hoje é que as pessoas inteligentes estão cheias de dúvidas e as pessoas **IDIOTAS** estão cheias de certezas. (Charles Bukowski)

O HOMEM É UM ANIMAL SOCIAL QUE DETESTA OS SEUS SEMELHANTES. (EUGÈNE DELACROIX)

HOMEM: TERMO GENÉRICO QUE, INCLUSIVE, INCLUI AS MULHERES. (PROVÉRBIO ESPANHOL)

NÃO SEI COMO SERÁ A TERCEIRA GUERRA MUNDIAL, MAS A QUARTA SERÁ COM LANÇAS E PEDRAS.
(ALBERT EINSTEIN)

Toda a campanha militar repousa na **DISSIMULAÇÃO**. Finge **DESORDEM**. Jamais deixes de oferecer um **ENGODO** ao inimigo para ludibriá-lo. Simula **INFERIORIDADE** para encorajar sua **ARROGÂNCIA**. Atiça sua **RAIVA** para melhor mergulhá-lo na confusão. Sua cobiça o arremeterá contra ti e, então, ele se **ESPATIFARÁ**.

(Sun Tzu em "A arte da guerra")

Gilmar Fraga

O DESESPERO NÃO GANHA BATALHAS.
(VOLTAIRE)

A PREOCUPAÇÃO PÕE SOMBRAS GRANDES SOBRE AS COISAS PEQUENAS. (ANÔNIMO)

O homem é tão divino quanto a própria imaginação.

(Allen Ginsberg)

Como sabes que a Terra não é o inferno de um outro planeta?
(Aldous Huxley)

Ilustração: "Infernal punishment", Nicolas le Rouge, Troyes, 1496.

OLHO POR OLHO, E O MUNDO ACABARÁ CEGO.
(Gandhi)

A guerra é uma invenção do ser humano. E o ser humano pode também inventar a paz. (Winston Churchill)

A guilhotina prestou um favor a LUÍS XVI. Não fosse ela, ele seria lembrado pela sua barriga. No entanto ele é lembrado pela sua cabeça. (Victor Hugo)

A CADA DIA, A CADA HORA, A GENTE APRENDE UMA QUALIDADE NOVA DE MEDO. (GUIMARÃES ROSA)

É monstruoso perceber que as pessoas se dizem pelas costas coisas que são absolutamente verídicas. (Oscar Wilde)

os outros são um inferno

PREFIRO O INFERNO. LÁ TEREI COMPANHIA DE PAPAS, REIS E PRÍNCIPES. (MAQUIAVEL)

Somente os idiotas são brilhantes no café da manhã. (Oscar Wilde)

TODOS OS TOLOS SÃO INFLEXÍVEIS E TODOS OS INFLEXÍVEIS SÃO TOLOS. QUANTO MAIS TÊM SENTIMENTOS ERRÔNEOS, MENOS OS ABANDONAM. (BALTASAR GRACIÁN)

OS OTIMISTAS ESCREVEM MAL. (PAUL VALÉRY)

Prefiro o paraíso pelo clima e o inferno pela companhia. (Mark Twain)

A PRUDÊNCIA É UMA VELHA SOLTEIRONA, RICA E FEIA, CORTEJADA POR INCAPAZES.
(William Blake)

Eu posso estar bêbado, senhorita, mas amanhã eu estarei sóbrio e você ainda será feia. (Winston Churchill)

NO CÉU, TODAS AS PESSOAS INTERESSANTES ESTÃO AUSENTES. (FRIEDRICH NIETZSCHE)

EU BEBO PARA TORNAR AS OUTRAS PESSOAS MAIS INTERESSANTES.
(George Jean Nathan)

Groucho Marx

"Eu lembro da primeira vez que fiz sexo. Guardei até o recibo."

"Eu não frequento clubes que me aceitam como sócio!"

"Eu pretendo viver para sempre ou morrer tentando."

OS IMBECIS DEIXAM SUAS IMPRESSÕES DIGITAIS NO QUE DIZEM. (SOFOCLETO)

Você se conhece?
Eu me conheci e saí correndo. (Goethe)

O INFERNO SÃO OS OUTROS
(JEAN-PAUL SARTRE)

Em vão nos esforçamos para parecer aquilo que não somos. (Cristina da Suécia)

MAS AGORA É HORA DE PARTIRMOS. EU PARA MORRER E VOCÊS PARA VIVER. QUEM DE NÓS SEGUE O MELHOR RUMO, NINGUÉM O SABE, EXCETO O DEUS.

(SÓCRATES, ANTES DE TOMAR A CICUTA)

Talleyrant despreza os homens, porque ele passou muito tempo estudando a si mesmo.

(Lazare Carnot)

A feiura é superior à beleza porque a feiura permanece... (Serge Gainsbourg)

A EXPERIÊNCIA NÃO TEM NENHUM VALOR ÉTICO, ELA É SIMPLESMENTE O NOME QUE OS HOMENS DÃO AOS PRÓPRIOS ERROS. (OSCAR WILDE)

O DIABO É UM OTIMISTA QUE PENSA QUE PODE FAZER AS PESSOAS PIORES DO QUE SÃO. (KARL KRAUS)

Todo assassino é provavelmente o velho amigo de alguém. (Agatha Christie)

NÃO HÁ NADA MAIS PERIGOSO DO QUE TER UMA IDEIA, PARA QUEM TEM SÓ UMA.
(PAUL CLAUDEL)

A MÃE DOS IDIOTAS ESTÁ SEMPRE GRÁVIDA.
(PROVÉRBIO FRANCÊS)

O homem que passou fome uma vez, vinga-se do mundo — não rouba apenas uma vez ou apenas aquilo que precisa, mas cobra do mundo uma taxa sem fim, como pagamento de algo insubstituível, que é a sua **FÉ PERDIDA**. (Anaïs Nin)

> EM TODO O CASO, O MUNDO PARECE FEIO, MAU E SEM **ESPERANÇA**. ESSE SERIA O DESESPERO DE UM VELHO QUE JÁ MORREU POR DENTRO. **MAS EU RESISTO...**
> (JEAN-PAUL SARTRE)

É PERIGOSO ESCUTAR. VOCÊ SEMPRE CORRE O RISCO DE QUE LHE CONVENÇAM. (NORBERT WIENER)

O homem é como Deus o fez, só um pouco pior.
(Anônimo)

Minha vida está cheia de grandes desgraças. Muitas das quais nunca aconteceram. (Montaigne)

ONDE ESTÁ O MÉRITO, SE OS HERÓIS NUNCA TÊM MEDO? (ALPHONSE DAUDET)

DEVEMOS SER GRATOS AOS IDIOTAS. SEM ELES O RESTO DE NÓS NÃO SERIA BEM-SUCEDIDO. (MARK TWAIN)

QUE PENA SÓ TIRARMOS LIÇÕES DA VIDA DEPOIS QUE ELAS CESSARAM DE NOS SER ÚTEIS. (OSCAR WILDE)

O voto deve ser rigorosamente secreto. Só assim, afinal, o eleitor não terá vergonha de votar no seu candidato.
(Barão de Itararé)

O dinheiro, o poder e a glória

Millôr disse:

BRASIL, PAÍS DO FATURO.

Acabar com a corrupção é o objetivo supremo de quem não chegou ao poder.

O SER HUMANO É INVIÁVEL.

Um homem nunca atinge altura maior do que a sua falta de caráter.

OS CORRUPTOS SÃO ENCONTRADOS EM TODAS AS PARTES DO MUNDO, QUASE TODAS NO BRASIL.

A corrupção anda tão generalizada que já tem político ofendido ao ser chamado de incorruptível.

NAS NOITES DE BRASÍLIA, CHEIAS DE MORDOMIA, TODOS OS GASTOS SÃO PARDOS.

Millôr Fernandes

HÁ DUAS COISAS COM AS QUAIS PRECISAMOS NOS ACOSTUMAR PARA NÃO ACHARMOS A VIDA INSUPORTÁVEL: AS INJÚRIAS DO TEMPO E AS INJUSTIÇAS DOS HOMENS. (NICOLAS DE CHAMFORT)

O QUE O DINHEIRO FAZ POR NÓS NÃO COMPENSA O QUE FAZEMOS POR ELE. (GUSTAVE FLAUBERT)

Ivan Pinheiro Machado

SE A NATUREZA FOSSE UM BANCO, JÁ TERIA SIDO SALVA. (EDUARDO GALEANO)

O dinheiro não é a raiz de todo o mal. A falta dele, sim. (Mark Twain)

Todos vivem de vender alguma coisa. (Robert Louis Stevenson)

O BEM SE FAZ AOS POUCOS.
O MAL, DE UMA VEZ SÓ.
(MAQUIAVEL)

As leis são as teias de aranha pelas quais as moscas grandes passam e as pequenas ficam presas. (Honoré de Balzac)

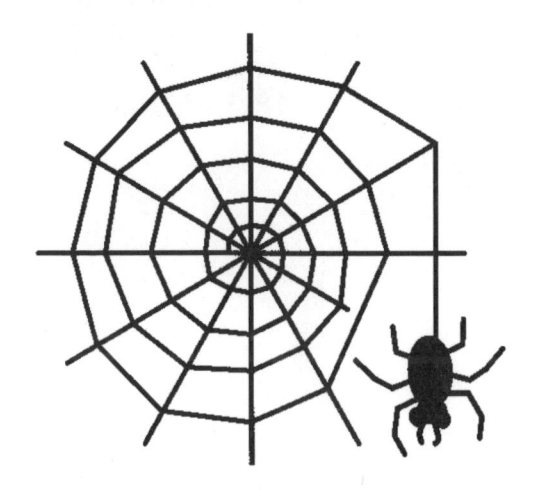

O PRIMEIRO ERRO QUE SE COMETE NA POLÍTICA É ENTRAR NELA. (BENJAMIN FRANKLIN)

ACABAMOS DE FECHAR O ROMANCE DA REVOLUÇÃO. VAMOS COMEÇAR AGORA A HISTÓRIA. (NAPOLEÃO BONAPARTE NO 18 BRUMÁRIO)

JUSTIÇA SEM FORÇA, E FORÇA SEM JUSTIÇA. ESTAS SÃO AS PIORES DESGRAÇAS!
(JOSEPH JOUBERT)

A CORTESIA É UMA MOEDA QUE NÃO ENRIQUECE AQUELE QUE A RECEBE, MAS AQUELE QUE A DÁ. (PROVÉRBIO PERSA)

Cada vez que indico alguém para um cargo, crio dez inimigos e um ingrato. (Molière)

• •

O PRIMEIRO MÉTODO PARA AVALIAR A INTELIGÊNCIA DE UM GOVERNANTE É OLHAR PARA OS HOMENS QUE ESTÃO À SUA VOLTA. (MAQUIAVEL)

A nossa felicidade depende mais do que temos em nossa cabeça do que em nossos bolsos. (Arthur Schopenhauer)

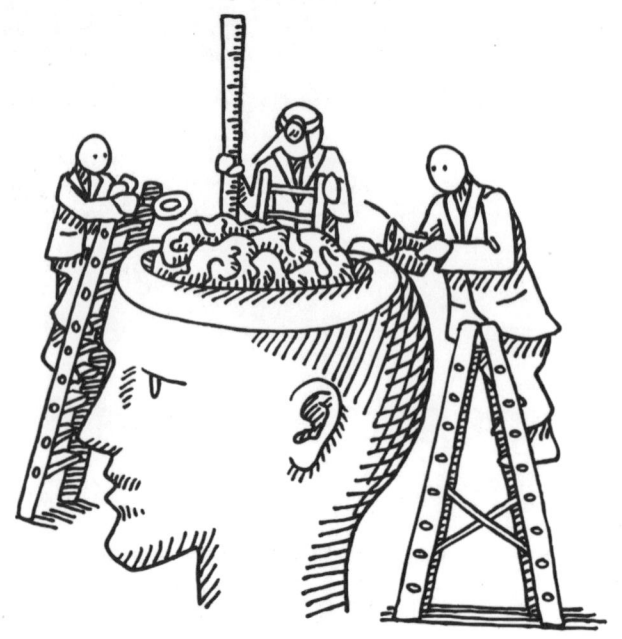

NÃO SUPERESTIME O DINHEIRO; ELE É UM BOM SERVIÇAL E UM PÉSSIMO MESTRE. (ALEXANDRE DUMAS)

O SEGREDO DO ÊXITO É A SINCERIDADE E A HONESTIDADE. SE CONSEGUIRES SIMULAR ISTO, VAIS TE DAR BEM.
(GROUCHO MARX)

O PODER DEIXA MALUCO. O PODER ABSOLUTO DEIXA COMPLETAMENTE LOUCO.
(JOHN DALBERG-ACTON)

> É sempre mais fácil para um regime vender automóveis aos pobres do que elevar seu nível de vida, dar-lhes trabalho, escolas, moradia. (Jean-Paul Sartre)

DE TODOS OS ANIMAIS SELVAGENS, O HOMEM JOVEM É O MAIS DIFÍCIL DE DOMAR. (PLATÃO)

A SORTE SEMPRE ENCONTRA AQUELES QUE SABEM USÁ-LA. (ROMAIN ROLLAND)

UM IDIOTA POBRE É UM IDIOTA, UM IDIOTA RICO É UM RICO. (PAUL LAFITTE)

É MUITO DIFÍCIL TORNAR COMPATÍVEL A POLÍTICA E A MORAL.
(FRANCIS BACON)

O PODER É, PELA SUA NATUREZA, CRIMINOSO. (MARQUÊS DE SADE)

Eu sou um cérebro, Watson. O resto é mero apêndice.
(Sherlock Holmes/ Arthur Conan Doyle)

O BANQUEIRO É AQUELE QUE LHE EMPRESTA O GUARDA-CHUVA QUANDO O SOL BRILHA E TIRA QUANDO COMEÇA A CHOVER. (MARK TWAIN)

A História é uma história

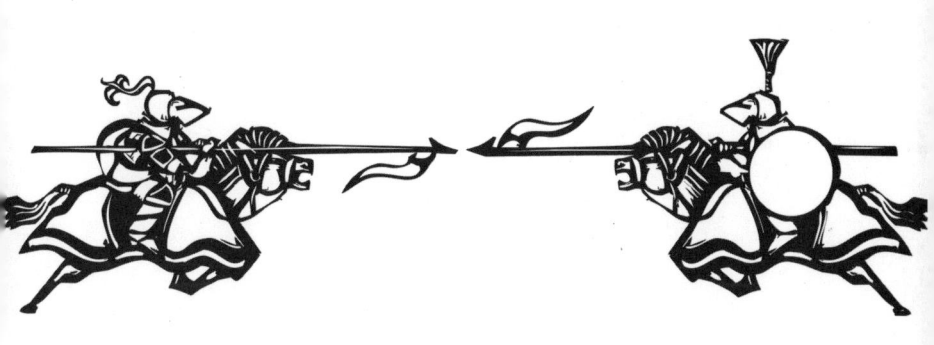

A História é uma sequência de mentiras sobre as quais os homens se puseram de acordo.
(Napoleão Bonaparte)

O HISTORIADOR É UM PROFETA QUE OLHA PRA TRÁS. (HEINRICH HEINE)

A História é como um idiota: se repete, se repete, se repete.
(Paul Morand)

A História é feita com rios de tinta, formando oceanos de mentira.
(Joaquim Nabuco)

A história me será indulgente, porque eu pretendo escrevê-la.
(Winston Churchill)

A REVOLUÇÃO RUSSA É A REVOLUÇÃO FRANCESA QUE CHEGOU TARDE POR CAUSA DO FRIO.
(SALVADOR DALÍ)

A história não é o lugar para a encontrar a felicidade. Os períodos felizes são as páginas em branco.
(Friedrich Hegel)

A HISTÓRIA PODE JUSTIFICAR O QUE QUISER. (Paul Valéry)

> A História é uma merda.
> (Henry Ford)

A HISTÓRIA É UMA COISA QUE NÃO ACONTECEU, CONTADA POR UM SUJEITO QUE NÃO ESTAVA LÁ. (MACHADO DE ASSIS)

NAS REVOLUÇÕES HÁ DOIS TIPOS DE GENTE; AS QUE FAZEM A REVOLUÇÃO E AS QUE SE APROVEITAM DELA. (NAPOLEÃO BONAPARTE)

A História não tem escrúpulos nem hesitação, nem moral, nem consciência.
(Arthur Koestler)

OS SALÕES E AS ACADEMIAS MATAM MAIS REVOLUCIONÁRIOS QUE AS PRISÕES E OS CANHÕES. (PAUL MORAND)

> MAS ISSO É OUTRA HISTÓRIA.
> (RUDYARD KIPLING)

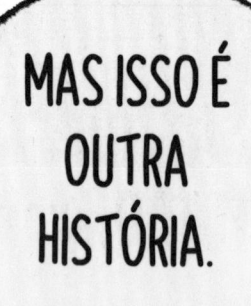

UM IMPÉRIO FUNDADO PELAS ARMAS SÓ CONSEGUE SE MANTER PELAS ARMAS. (MONTESQUIEU)

A história é a ciência da infelicidade dos homens.
(Raymond Queneau)

O que eu gosto mesmo na História são as anedotas. (Winston Churchill)

A HISTÓRIA É O ENORME CONJUNTO DE COISAS QUE NÓS PODERÍAMOS TER EVITADO. (KONRAD ADENAUER)

A arte & a arte de escrever

ESCREVER OU É MUITO FÁCIL... OU É IMPOSSÍVEL.
(VICTOR HUGO)

ARTE É INTRIGA
(Millôr Fernandes)

A ARTE EXISTE PARA QUE A VERDADE NÃO NOS DESTRUA. (FRIEDRICH NIETZSCHE)

OS PENSAMENTOS VOAM E AS PALAVRAS VÃO A PÉ. EIS O GRANDE DRAMA DO ESCRITOR. (JULIAN GREEN)

O estilo é a fisionomia do espírito. Imitar o estilo alheio é como usar uma máscara. E a afetação no estilo é igual às caretas que deformam o rosto. (Arthur Schopenhauer)

A pintura é uma poesia que se vê. (Leonardo da Vinci)

Na minha pintura arrisquei minha vida e arruinei minha razão. (Vincent Van Gogh)

NÃO EXISTE OBRA DE ARTE SEM A COLABORAÇÃO DO DEMÔNIO. (ANDRÉ GIDE)

(...) bata na máquina,
bata forte

faça disso um combate de pesos pesados
faça como o touro no momento do primeiro ataque
e lembre dos velhos cães
que brigavam tão bem:
Hemingway, Céline, Dostoiévski, Hamsun.

Se você pensa que eles não ficam loucos
em quartos apertados
assim como este que você está agora

sem mulheres
sem comida
sem esperança

então você não
está pronto (...)*

(Charles Bukowski)

M. Schultheiss

* Fragmento do poema "como ser um grande escritor".
(*O amor é um cão dos diabos*, L&PM Editores, tradução de Pedro Gonzaga)

O ROMANCE POLICIAL DIFERE DOS OUTROS PORQUE O LEITOR SÓ FICA SATISFEITO QUANDO SENTE QUE FOI ENGANADO. (G. K. CHESTERTON)

ESCREVER É UMA FORMA DE FALAR SEM SER INTERROMPIDO. (JULES RENARD)

Escrever é fácil. Você começa com uma letra maiúscula e termina com um ponto final. No meio, você coloca ideias. (Pablo Neruda)

UMA CASA SEM LIVROS É COMO UM CORPO SEM ALMA.

(DITADO LATINO)

O MELHOR AMIGO DO ESCRITOR É A LATA DE LIXO. (ISAAC B. SINGER)

Não há desgraça no mundo, por maior que seja, que um livro não ajude a suportar. (Stendhal)

> **O LIVRO É COMO UM IMENSO JARDIM QUE VOCÊ PODE LEVAR NO SEU BOLSO.**
> (DITADO ÁRABE)

As palavras podem ter a leveza do vento e a força da tempestade.
(Victor Hugo)

EU SOU PARTE DE TUDO O QUE LI.
(JOHN KIERAN)

A natureza e os livros pertencem aos olhos que os veem. (Ralph Waldo Emerson)

Escrever é que é o verdadeiro prazer;
ser lido é um prazer superficial.
(Virginia Woolf)

O **ESTILO** ESTÁ TANTO SOB AS PALAVRAS, COMO DENTRO DELAS. É, AO MESMO TEMPO, A ALMA E A CARNE DE UMA OBRA. (GUSTAVE FLAUBERT)

O grande escritor é aquele que faz tudo para ser banal... e não consegue. (Raymond Radiguet)

Um poeta é um mundo encerrado dentro de um homem. (Victor Hugo)

ESSAS PALAVRAS QUE ESCREVO ME PROTEGEM DA COMPLETA LOUCURA. (CHARLES BUKOWSKI)

A FRASE QUE FALTOU:

....
....
....
....

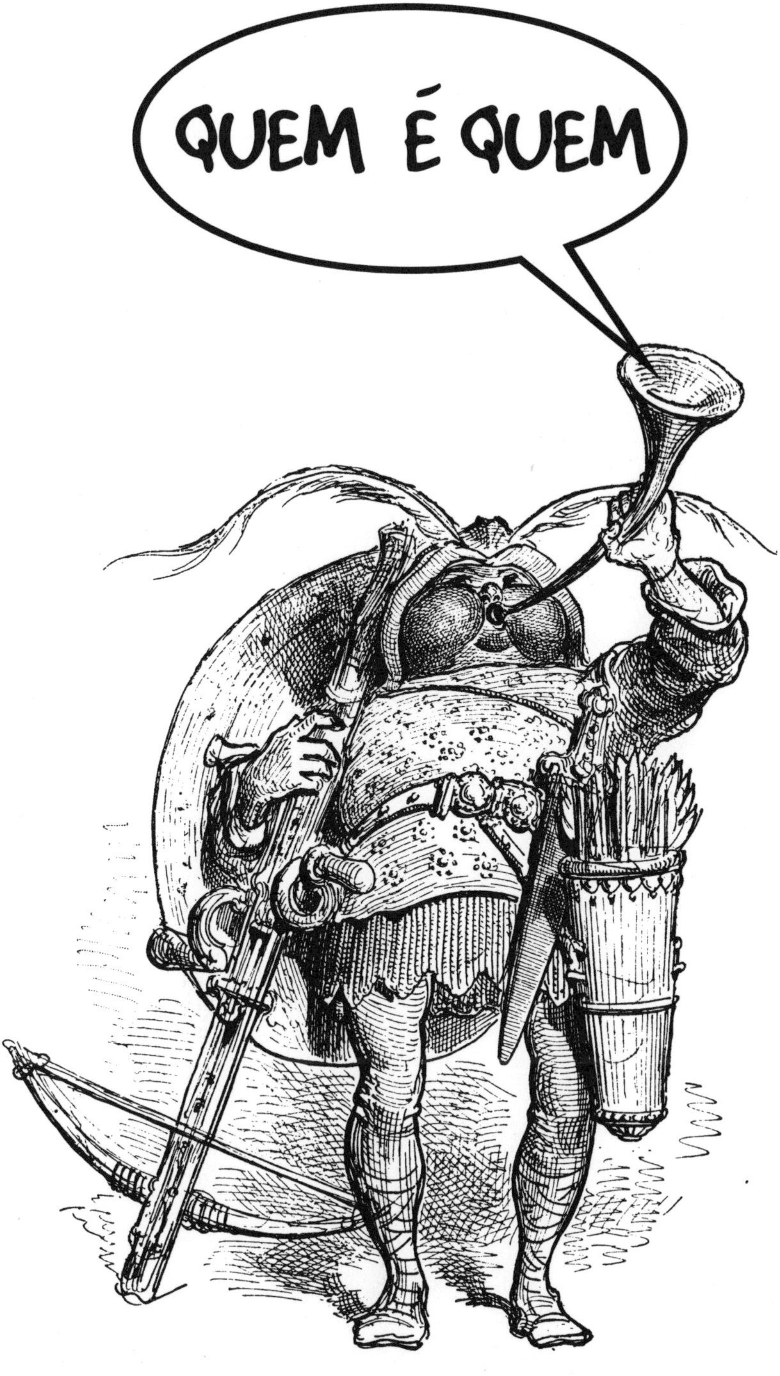
QUEM É QUEM

Abraham Lincoln (1809-1865) - Um dos mais importantes e influentes presidentes dos Estados Unidos. Foi um apologista da democracia, antiescravagista e lutou pela unidade dos EUA.

Agatha Christie (1890-1976) - Escritora inglesa, tornou-se a autora de livros policiais mais vendida da história da literatura mundial. Escreveu mais de 100 livros entre romances e peças de teatro.

Albert Camus (1913-1960) - Escritor francês, Prêmio Nobel de Literatura de 1957, autor de *O estrangeiro* e *O Mito de Sísifo*.

Albert Einstein (1879-1955) - Cientista alemão que propôs a Teoria da Relatividade, que revolucionou a ciência.

Aldous Huxley (1894-1984) - Escritor inglês, autor de *Admirável mundo novo*. Influenciou os movimentos culturais na década de 1970, pregando o uso do LSD.

Alexandre Dumas, pai (1802-1870) - Um dos mais importantes escritores franceses do gênero de aventuras. Autor de *Os três mosqueteiros* e *O Conde de Monte Cristo*.

Alexandre Dumas Filho (1824-1875) - Escritor francês, filho de Alexandre Dumas. Seu romance mais famoso é *A dama das camélias*.

Allen Ginsberg (1926-1977) - Poeta americano, um dos principais membros da geração beat, companheiro de Jack Kerouac e autor do célebre poema *Uivo*.

Alphonse Allais (1854-1905) - Escritor, pintor e humorista francês com presença marcante entre os movimentos modernistas franceses no final do século XIX.

Alphonse Daudet (1840-1897) - Romancista e dramaturgo francês autor de *Tartarin de Tarascon* e *Cartas do meu moinho*.

Anaïs Nin (1903-1977) - Escritora francesa (nasceu na França e morreu em Los Angeles), autora de *Delta de Vênus* e dos célebres diários que só foram publicados na íntegra após a sua morte.

André Gide (1869-1951) - Escritor francês, autor de *O Imoralista*. Ganhou o Prêmio Nobel em 1947.

Antoine de Saint-Exupéry (1900-1944) - Escritor e aviador francês, autor de *O pequeno príncipe*.

Anton Tchékhov (1860-1904) escritor e dramaturgo russo, considerado um mestre do conto moderno. Autor de *O jardim das cerejeiras*.

Aristóteles (384 a.C.-322 a.C.) - Filósofo grego, considerado com Sócrates e Platão os fundadores da filosofia ocidental.

Arthur Conan Doyle (1859-1930) - Escritor escocês criador do detetive Sherlock Holmes.

Arthur Koestler (1905-1983) - Escritor e ativista judeu húngaro.

Arthur Rimbaud (1854-1891) - Um dos mais importantes poetas franceses em todos os tempos, autor de *Iluminações* e *Uma temporada no inferno*.

Arthur Schopenhauer (1788-1860) - Filósofo alemão. Suas obras mais conhecidas são *O mundo como vontade e representação* e *Parerga e Paralipomena*.

Artur Azevedo (1855-1908) - Poeta, jornalista e contista brasileiro.

Augusto dos Anjos (1884-1914) - Um dos mais importantes e influentes poetas brasileiros, autor de *Eu e outras poesias*.

Baltasar Gracián (1601-1658) - Filósofo e teólogo espanhol, autor de *A arte da prudência*.

Barão de Itararé (Aparício Fernando de Brinkerhoff Torelly) (1895-1971) - Humorista brasileiro, jornalista e editor de *A Manha*, o primeiro jornal de humor do país.

Benjamin Franklin (1706-1790) - Estadista, cientista e escritor norte-americano, inventor do para-raios. Lutou pela Independência americana e pela libertação dos negros.

Bertrand Russell (1872-1970) - Filósofo, matemático, escritor e pacifista inglês. Foi um dos grandes personagens do século XX. Recebeu o Premio Nobel de Literatura em 1950.

Boake Carter (Harold Thomas Henry Carter) (1899 ou 1903-1944) - Jornalista americano, famoso pela frase "quando começa a guerra a primeira vítima é a verdade" que também é atribuída a outros escritores e jornalistas, entre os quais Rudyard Kipling.

Bossuet (1627-1704) - Bispo e teólogo francês, teórico do absolutismo.

Carlo Goldoni (1707-1793) - Dramaturgo italiano que renovou o teatro do seu tempo. Autor de quase 250 peças entre comédias, tragédias e dramas.

Channing Pollock (1880-1946) - Teatrólogo, crítico e roteirista norte-americano.

Charles Bukowski (1920-1994) - Romancista, contista e poeta "maldito" norte-americano, é autor dos bestsellers *Mulheres* e *Cartas na Rua*.

Charles Dickens (1812-1870) - Grande escritor inglês autor de *Oliver Twist*, *David Copperfield* e *Um Conto de Natal*.

Cícero (106 a.C-46 a.C) filósofo e político, considerado um dos maiores oradores da Roma Antiga.

Cristina da Suécia (1626-1689) - Foi rainha da Suécia entre 1632 e 1654. Figura polêmica, era considerada muito culta e deixou textos esparsos e uma autobiografia.

Dalai Lama (1935-) - Líder dos budistas tibetanos no exílio.

Daniel Pennac (1944-) - Escritor francês, autor de *Como um romance*.

Denis Diderot (1713-1784) - Filósofo e escritor francês, publicou, juntamente com d'Alembert, a célebre *Enciclopédia*.

Dorothy Parker (1893-1967) - Jornalista e escritora norte-americana.

Douglas William Jerrold (1803-1857) - Dramaturgo inglês.

Duquesa D'Abrantes (Laure Junot) - (1784-1838) Memorialista francesa. Escreveu entre outros livros *Histórias dos salões de Paris*.

Ed Howe (Edgar Watson Howe) (1853-1937) - Jornalista e romancista norte-americano.

Eduardo Galeano (1940-2015) - Jornalista e escritor uruguaio, autor de *Livro dos abraços* e *Veias abertas da América Latina*.

Esopo - Fabulista grego, viveu entre os séculos VII e VI antes de Cristo.

G. Fraga

Eugène Delacroix (1798-1863) - Pintor francês.

Fernando Pessoa (1888-1935) - Poeta português, conhecido por seus muitos heterônimos, autor de *Mensagem*.

Fiódor Dostoiévski (1821-1881) - Escritor russo, autor de *Crime e Castigo* e *Irmãos Karamázov*.

Francis Bacon (1561-1626) - Político, jurista e filósofo inglês. Considerado o criador da ciência moderna.

François de La Rochefoucauld (1613-1680) - Aristocrata francês, autor de *Reflexões ou sentenças e máximas morais*, pioneiro no gênero de máximas e aforismos.

Franz Kafka (1883-1924) - Escritor tcheco, escrevia em alemão e é um dos maiores nomes da literatura moderna. Autor de *A metamorfose*.

Friedrich Hegel (1770-1831) - Filósofo alemão considerado criador da filosofia moderna.

Friedrich Nietzsche (1844-1900) Filósofo e escritor alemão autor de *Assim falou Zaratustra* e *Além do bem e do mal*.

George Bernard Shaw (1856-1950) - Escritor e dramaturgo irlandês, autor de *Pigmaleão* e ganhador do Prêmio Nobel de Literatura de 1925.

Georges Clemenceau (1841-1929) - Estadista francês, foi também jornalista e escritor.

Georges Feydeau (1862-1921) - Dramaturgo francês.

George Jean Nathan (1882-1958) - Crítico e diretor de teatro norte-americano.

Georges Simenon (1903-1989) - Escritor francês, criador do personagem Inspetor Maigret.

G. K. Chesterton (1874-1936) - Ensaísta e romancista inglês, criador do célebre personagem Padre Brown.

Groucho Marx (1890-1977) - Humorista e ator norte-americano.

Guilherme de Almeida (1890-1969) - Poeta brasileiro.

Guimarães Rosa (1908-1967) - Romacista brasilerio, inovador, autor de *Grande Sertão: Veredas*.

Gustave Flaubert (1821-1880) - Um dos mais importantes escritores franceses, autor de *Madame Bovary*.

Hector Berlioz (1803-1869) - Maestro, compositor e crítico musical francês.

Heinrich Heine (1797-1856) - Poeta, jornalista e ensaísta alemão.

Henry Ford (1863-1947) - Industrial norte-americano, inventor da indústria automobilística.

Henri Lacordaire (1802-1861) - Padre dominicano francês.

Honoré de Balzac (1799-1850) - Escritor francês, autor de *A Comédia Humana*, considerado o inventor do romance moderno.

Ivana Trump (1949-) - Ex-modelo norte-americana, ex-mulher do magnata Donald Trump.

Isaac Bashevis Singer (1902-1991) - Escritor judeu que nasceu na Polônia, mas viveu e escreveu sua obra nos Estados Unidos. Prêmio Nobel de Literatura em 1978.

Jacques Deval (1895-1972) - Dramaturgo, diretor e roteirista francês.

James Joyce (1882-1941) - Escritor irlandês autor de *Ulisses*, *Retrato do artista quando jovem* e *Dublinenses*.

Jane Austen (1775-1817) - Escritora inglesa autora de *Orgulho e preconceito* e *Persuasão*.

Jayne Mansfield (1933-1967) - Atriz norte-americana.

Jean Cocteau (1889-1963) - Poeta, desenhista, cineasta e romancista francês.

Jean de La Bruyère (1845-1896) - Moralista francês.

Jean-Jacques Rousseau (1712-1788) - Escritor, filósofo e teórico político francês, autor de *O Contrato Social*.

Jean-Paul Sartre (1905-1980) - Filósofo, romancista francês, criador do Existencialismo. Autor de *O idiota da família* e *O ser e o nada*.

Joaquim Aurélio Barreto Nabuco (1849-1910) - Político, diplomata, historiador, jurista e jornalista brasileiro.

Johann Wolfgang von Goethe (1749-1832) - Poeta, romancista, pensador e estadista alemão, autor de *Os sofrimentos do jovem Werther* e *Fausto*.

John Dalberg-Acton (1834-1902) - Historiador inglês.

John F. Kennedy (1917-1963) - 35º presidente dos Estados Unidos. Assumiu a presidência em 1961 e foi assassinado em 1963.

John Kieran (1892-1981) - Escritor e jornalista muito popular nos Estados Unidos.

Joseph Joubert (1754-1824) - Ensaísta e moralista francês.

Jules Gautier (1858-1942) - Filósofo francês.

Jules Renard (1864-1910) - Romancista e dramaturgo francês.

Julien Green (1900-1970) - Romancista e teatrólogo francês.

Júlio César (101 a.C.- 44 a.C.) - General e político romano, lembrado como um dos maiores líderes militares da história.

Julio Cortázar (1914-1984) - Escritor argentino, considerado um dos grandes contistas da América Latina.

Karl Kraus (1874-1936) Escritor austríaco, pacifista e polemista, autor de livros de aforismos e máximas.

Khalil Gibran (1883-1931) - Escritor místico, poeta e artista libanês, conhecido por seu livro *O Profeta*.

Konrad Adenauer (1876-1967) - Político alemão.

Lazare Carnot (1753-1823) - Político e matemático francês.

Leonardo da Vinci (1452-1519) - A mais importante figura do Renascimento. Atuou em todos os campos da arte e da ciência. Pintou a "Monalisa", o quadro mais famoso do mundo.

Lie-tsé (século V a.C.) - Filósofo taoista chinês.

Lord Byron (George Gordon Byron) (1788-1824) - Poeta inglês que se notabilizou também pela sua vida aventureira e escandalosa.

Ludwig van Beethoven (1770-1827) - Compositor alemão mundialmente consagrado pela sua genialidade.

Luís de Camões (1524-1580) - Poeta épico e soldado português, autor de *Os lusíadas*.

Machado de Assis (1839-1908) - Romancista, poeta e contista. É fundador da Academia Brasileira de Letras e autor de *Memórias póstumas de Brás Cubas* e *Dom Casmurro*.

Madame Roland (Manon Roland) (1754-1793) - Personagem importante na Revolução Francesa, morreu na guilhotina no período do Terror.

Madeleine de Scudéry (1607-1701) - Escritora francesa.

Mae West (1892-1893) Atriz norte-americana, um dos maiores símbolos sexuais da década de 1930.

Mahatma Gandhi (1869-1948) - Místico, pacifista, defensor da não violência, líder político indiano que lutou pela emancipação do seu país.

Mao Tsé-Tung (1893-1976) - Estadista, líder revolucionário, chefe do Partido Comunista Chinês e fundador da República Popular da China.

Maquiavel (1469-1527) - Político, historiador, diplomata e escritor italiano. Considerado o criador da Teoria do Estado, é conhecido por sua obra *O Príncipe*.

Marcel Rioutord (1918-1978) - Poeta francês.

Marilyn Monroe (1925-1962) - Atriz norte-americana, símbolo sexual dos anos 1950.

Mark Twain (1835-1910) - Um dos maiores escritores norte-americanos de todos os tempos. Autor de *As aventuras de Huckleberry Fynn* e *Aventuras de Tom Sawyer*.

Marquês de Sade (Donatien Alphonse François de Sade) (1740-1814) - Escritor francês, preso várias vezes, produziu uma literatura de forte viés sexual.

Max Stirner (1806-1856) - Filósofo alemão, precursor do existencialismo.

Miguel de Cervantes (1547-1615) - Escritor e poeta espanhol, autor de *Dom Quixote de la Mancha*, um dos livros mais célebres da literatura mundial.

Millôr Fernandes (1923-2012) - Desenhista, humorista, dramaturgo, escritor, poeta, tradutor e jornalista brasileiro. Autor de *Millôr Definitivo - a Bíblia do Caos* com 5.299 frases.

Milton Berle (1908-2002) - Um dos mais populares apresentadores de TV dos Estados Unidos.

Molière (1622-1673) - Dramaturgo e ator francês, considerado um mestre da comédia satírica.

Montaigne (1533-1592) - Filósofo francês, influenciou decisivamente a filosofia moderna.

Montesquieu (1689-1755) - Escritor francês, autor de *O Espírito das Leis*.

Napoleão Bonaparte (1769-1821) - Grande general, estadista e imperador francês.

Nelson Rodrigues (1912-1980) - Jornalista e dramaturgo brasileiro, autor de *Beijo no asfalto*.

Nicolas de Chamfort (1740-1794) - Escritor e humorista francês.

Norbert Wiener (1894-1964) - Matemático norte-americano.

Olavo Bilac (1865-1918) - Poeta brasileiro, abolicionista e membro fundador da Academia Brasileira de Letras.

Oscar Wilde (1854-1900) - Romancista, ensaísta, poeta e dramaturgo inglês autor de *O retrato de Dorian Gray*.

Ovídio (43 a.C. - 17 a.C.) - Grande poeta latino, deixou muitos poemas e textos sobre o amor.

Pablo Neruda (1904-1973) - Poeta chileno, ganhador do Prêmio Nobel de Literatura de 1971.

Pablo Picasso (1881-1973) - Pintor espanhol, um dos fundadores da arte moderna.

Paul Claudel (1868-1955) - Diplomata, poeta e dramaturgo francês.

Paul Laffitte (1839-1909) - Fincancista, romancista e editor francês.

Paul Morand (1988-1976) - Diplomata, poeta, novelista e dramaturgo francês.

Paul Valéry (1871-1945) - Ensaísta e grande poeta francês.

Pedro Mantiqueira (1951 -) - Músico, jornalista, pintor, poeta e botânico brasileiro.

Philippe Delerm (1950-) - Escritor francês.

Pierre Beaumarchais (1732-1799) - Dramaturgo francês, autor de *O barbeiro de Sevilha*.

Platão (428 a.C. - 348 a.C.) - Filósofo grego, discípulo de Sócrates. Aristóteles foi seu discípulo. Um dos filósfos mais influentes da história.

Protágoras (490 a.C. - 415 a.C.) - Filósofo grego, sofista.

Rainer Maria Rilke (1875-1926) - Escritor e poeta alemão, autor de *Cartas a um jovem poeta*.

Ralph Waldo Emerson (1803-1882) - Pensador, poeta e escritor norte-americano, fundador do transcendentalismo.

Raymond Queneau (1903-1976) - Poeta e escritor francês.

Raymond Radiguet (1903-1923) - Escritor francês, autor de *O diabo no corpo*.

Robert Louis Stevenson (1850-1894) - Escritor escocês, autor de *O médico e o monstro* e de *A ilha do tesouro*.

Romain Rolland (1866-1944) - Escritor francês autor de *Jean Christophe*. Prêmio Nobel de Literatura de 1915.

Rosa Luxemburgo (1871-1919) - Polonesa com nacionalidade alemã. Revolucionária, ativista política e teórica marxista.

Rudyard Kipling (1865-1939) - Romancista e poeta inglês, autor de *O livro da selva*.

Salvador Dalí (1904-1989) - Pintor espanhol, um dos expoentes do surrealismo.

Santo Agostinho (354-430) - Importante teólogo e filósofo dos primeiros tempos do catolicismo.

Sêneca (4 a.C.- 65) - Poeta, estadista e filósofo latino.

Serge Gainsbourg (1928-1991) Poeta, ator, cantor e compositor francês.

Sigmund Freud (1856-1839) - Médico, cientista, escritor e fundador da Psicanálise.

Sócrates (469 a.C.- 399 a.C.) - Filósofo grego, mestre de Platão e um dos mais importantes pensadores da história da humanidade.

Sofocleto (Luis Felipe Angell de Lama) (1926-2004) - Escritor, poeta e humorista peruano.

Stendhal (1783-1842) - Romancista francês, autor de *O vermelho e o negro*.

Sun Tzu (544 a.C.- 496 a.C.) - Filósofo e estrategista chinês, autor de *A arte da Guerra*.

Tiradentes (Joaquim José da Silva Xavier) (1748-1792) - Herói da Inconfidência Mineira.

Victor Hugo (1802-1885) - Poeta e romancista francês autor de *Os miseráveis*.

Vincent van Gogh (1853-1890) - Pintor holandês, um dos precursores da arte moderna.

Virginia Woolf (1882-1941) - Escritora inglesa precursora do modernismo, autora de *Orlando* e *Mrs. Dalloway*.

Voltaire (1694-1778) - Escritor e filósofo francês, autor de *Cândido ou o otimismo*.

William Blake (1757-1827) - Poeta, desenhista e místico inglês.

William Shakespeare (1564-1616) - Dramaturgo inglês. Um dos mais importantes autores de todos os tempos.

Winston Churchill (1874-1965) - Estadista, militar e escritor inglês. Prêmio Nobel de Literatura de 1953.

Woody Allen (1935-) - Diretor de cinema, ator e escritor norte-americano.

Zsa Zsa Garbor (1917-) - Atriz austro-húngara de grande beleza, diva nos anos 30, 40 e 50.

IMPRESSÃO:

Pallotti
GRÁFICA EDITORA
IMAGEM DE QUALIDADE

Santa Maria - RS - Fone/Fax: (55) 3220.4500
www.pallotti.com.br